托马士不要酸溜溜

爸爸妈妈焦点指南

看到您抱别的小朋友，宝宝是不是就不高兴？

听到您夸奖别的小朋友，宝宝是不是就不开心？

看到父母在一起，宝宝是不是非要坐到你们中间？

这些看起来不乖或者奇怪的举动，其实是宝宝忌妒了。

这么小的孩子就会忌妒了吗？

答案是肯定的！

可是，宝宝为什么会忌妒？他们容易忌妒哪些人、哪些事？

应该如何应对有忌妒情绪的宝宝？

这里，或许有您需要的答案。

读故事，玩游戏，看指导，

和宝宝一起对付这个叫"忌妒"的坏家伙吧！

让宝宝做情绪的主人

儿童心理教育专家 《父母必读》主编 徐 凡

情绪无论好坏，都伴随着人的整个生命旅程，每一种情绪都有着重要的生物学意义，对孩子的生存具有一定的贡献。在生活经验中，我们发现了一种现象：强烈的情绪，比如狂喜、暴怒、极悲，有可能使人的心智变得狭窄，因其过度调用身体资源，会对健康造成一定的伤害。还有一些情绪，比如羡慕或嫉妒，有的会给人带来动力，有的会伤害人与人之间的关系。

我们的心灵犹如一个容纳各种情绪的盒子，哪一种都不应该被排斥在外。家长需要做的就是帮孩子建立起管理这个盒子的心智体系。无论是正面情绪还是负面情绪，如果我们能帮孩子很好地认识它们、接受它们、管好它们，我们将看到一个情绪丰富、情感丰满的孩子在成长。

在这套书中，有一系列帮我们认识和调控消极的负面情绪，以及强化和放大积极的正面情绪的好方法，相信在亲子共读的过程中，父母和孩子都会有收获。

儿童心理咨询专家 北京友谊医院副主任医师 柏晓利

多年前，当我们还是孩子时，我们的情绪往往不被父母重视，有时我们会觉得委屈和压抑，甚至埋怨父母不懂自己。那时，我们更不懂得如何表达情绪，我们的童年经常受到坏情绪的困扰。现在，我们做了父母，开始知道，对孩子的情绪不能简单地用语言禁止、否定或者漠视，情绪需要用智慧来管理。这套情绪管理丛书，就是这样一套能帮助父母应对3岁~6岁宝宝情绪，弥补我们童年的缺失的丛书，是为宝宝成长助跑和为父母补课的好书。

这套丛书将情绪管理这一理论深入浅出，用3岁~6岁宝宝能理解的生动故事和充满童趣的语言，把人的最基本的情绪逐层解析，帮助父母和宝宝轻松地学会情绪管理，开启通往快乐、幸福人生的大门。

当您在给宝宝读这本书时，请您设想自己还是孩子时的感受，用孩子的视角来理解、接纳和管理宝宝的情绪。阅读这样一套丛书，您的宝宝会受益终生，而您自己将会是最大的受益者。

詹姆士不要酸溜溜

童趣出版有限公司编译　人民邮电出版社出版
北　京

这是多多岛上一个寒冷的冬天。刚刚下过一场雪，路很滑，小火车们工作得格外辛苦。

　　詹姆士今天拉慢车，这会儿他正在等信号灯。培西跑过来停在他身边，高兴地说："詹姆士，我今天拉邮车，这工作很重要！"

信号灯一变，培西就抢先开走了。"为什么后来的先走？"詹姆士很生气。他的司机说："重要的火车得先走。"

　　"那好吧！"詹姆士闷闷不乐地开到水塔前加水，托马斯也在那里。"嘿，詹姆士，我得先走了，我有重要的工作。"说完，托马斯也开走了。

　　詹姆士心里一下子变得酸溜溜的，他嚷道："别人都是重要的小火车，我也要！而且我要当最重要的小火车！"

　　下午，胖总管给詹姆士带来一份新工作："詹姆士，你马上把煤送到各个火车站去，不然候车室的火炉熄了，乘客们会很冷的，这个工作很重要！"

　　詹姆士骄傲地扯着嗓门儿喊："放心吧，先生，这么重要的工作我保证做好！"高登撇撇嘴说："不就是拉煤吗。"

　　詹姆士听了，瞪大眼睛说："还有什么比让乘客保持温暖更重要？这是多多岛上最重要的工作。"说完，他就雄赳赳地开走了。

詹姆士先去加水，可是水塔前排了长长的队。"我的工作太重要了，一分钟也不能耽误！"詹姆士不耐烦地开走了。

　　不一会儿，詹姆士遇到了愁眉苦脸的爱德华。"我的工作太多了，你能帮我把石板车送到采石场吗？"爱德华问。

"对不起，爱德华，我的工作比谁的都重要，一分钟也不能耽误。"说完，詹姆士就神气地开走了。

　　詹姆士开进煤场，接上煤车，大声吹响汽笛出发了。"我真是有用又重要！"詹姆士太得意了，好像锅炉都轻了。

　　詹姆士一路飞奔，可是他觉得自己开始慢慢发热，越来越热，最后热得再也走不动了。"你的水箱干了，我们必须等待救援。"司机告诉詹姆士。

　　爱德华开过来，詹姆士请他帮忙。爱德华说："对不起，因为你不肯帮我送石板车，现在我的乘客要迟到了。"

过了一会儿，沙弟来了，詹姆士请他帮忙。沙弟说："听说你不肯帮助爱德华？""我的工作是最重要的，我没有时间！"詹姆士为自己辩解。

"没有比帮助另一辆小火车更重要的工作了！"沙弟说。

詹姆士脸红了，在他的锅炉深处，他知道沙弟是对的。

在沙弟的帮助下，詹姆士加满水又出发了。路上，他遇到了出故障的狄塞尔。詹姆士想起沙弟的话，他把狄塞尔送到了修理场。

很快，天黑了，天气变得更冷了。詹姆士用尽全力，跑遍整个多多岛，把带来温暖的煤块送到了每一个候车室。

　　第二天，胖总管来看詹姆士。詹姆士为自己昨天的行为感到羞愧。可是胖总管说："你帮助了狄塞尔，你还是真正有用的小火车啊！"

　　詹姆士兴奋得锅炉都快炸开了，他的忌妒不见了，他的锅炉深处一遍遍欢唱着："外表神气比不上默默努力，慢车快车，重要的是尽力！"

 因为羡慕别人，詹姆士也想把自己变得很重要，结果发生了什么？快来说一说。回答一个问题，就给自己贴一枚小火车勋章，加油把勋章都贴满吧！

小火车勋章

小火车勋章

小火车勋章

小火车勋章

1

培西说了些什么，
让詹姆士心里酸溜溜的？

2

托马斯跟詹姆士说了什么，让詹姆士想做最重要的小火车？

3

詹姆士为什么不肯帮爱德华运石板？

4

詹姆士心里不再酸溜溜了，他是怎么想的？

妈妈 小贴士 小火车勋章在第27页，请撕下来作为奖励，鼓励孩子回忆故事，思考问题，认识忌妒情绪的发展过程。让孩子明白，忌妒是种不好的情绪，应该甩掉它。

24

詹姆士因为别人的工作好而觉得酸溜溜。小朋友，遇到下面这些情况，你会不会也觉得酸溜溜？根据提示，给你的信号灯涂上颜色。

妈妈只抱弟弟却不看我。

我的朋友去和别人一起玩了。

老师夸奖美美，却不夸我，我画得也很好啊！

大家都去看明明的新玩具，不跟我玩了。

妈妈把大苹果给了来做客的哥哥，把小苹果给了我。

每次拼拼图，乐乐都比我拼得快、拼得好。

爸爸和妈妈在一起看电视，都没看我。

贝贝妈妈的衣服好漂亮，我妈妈却没有。

红灯 我很忌妒

黄灯 我有一点儿忌妒

绿灯 我一点儿也不忌妒

25

 忌妒的时候，詹姆士会觉得心里酸溜溜的。小朋友，你会怎么样呢？你有过下面这些感觉和行为吗？给有过的贴上小红旗吧！

我会怒气冲冲，感觉心里有团火，怎么也扑不灭。

乐乐搭积木比我快，我就想把他的积木都推倒。

老师夸奖晶晶，我就告诉老师她不乖的事。

妈妈只看弟弟，我就故意撞一下，妈妈就会看我了！

妈妈给月月的苹果比我的大，不行，我要换过来。

大家都围着明明的遥控车，哼，我就不看。

妈妈 **小贴士** 以上是宝宝忌妒时的6种典型表现。撕下第27页的小红旗，帮助宝宝完成游戏，让宝宝了解自己，也让您了解宝宝什么时候可能是忌妒了。

第24页 小火车勋章

第26页 小红旗

第29页 小绿旗

收纳袋　折线　收纳袋

粘贴　粘贴

折叠　折叠

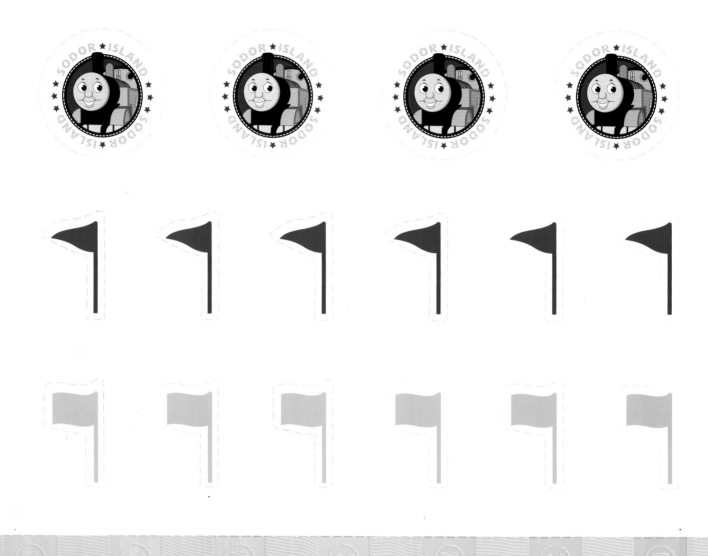

收纳袋　　　收纳袋

情绪管理站

 甩掉忌妒的坏情绪，我有好办法，快来试试吧！喜欢哪个就在哪个旁边贴上小绿旗！

 我深深地吸气、呼气，这样一会儿就感觉好多了。

 我会去做有趣的事，把忌妒的感觉忘掉。

 我会告诉大人我想要什么，他们会告诉我怎么做。

 别人的东西比我的好，没关系，我也有她没有的好东西。

 笑笑搭积木比我快，不着急，因为我背儿歌比她快。

 妈妈抱小弟弟，这没什么，别人的妈妈也喜欢抱我呢。

妈妈小贴士 上面是帮助宝宝疏解忌妒情绪的6种好方法。请撕下第27页的小绿旗，帮助宝宝完成游戏，学习这些方法，学会自己调节情绪，让宝宝知道，大家都很棒，做自己就好。

情绪儿歌操

 忌妒不是好情绪，我们一起甩掉它。和我一起念念儿歌、做做操，把忌妒的感觉全甩掉。

① ② ③ ④ ⑤

阳光宝宝不妒忌，不着急也不生气
手指交叉握个拳，手掌向外伸向前
再做几次深呼吸，烦恼的事吐出去
拍拍肩膀跺跺脚，站在原地跳一跳
有的时候你很棒，有的时候我很强
大家都有擅长事，每个人都不一样
忌妒的事讲一讲，妈妈伙伴来帮忙

妈妈小贴士 教会宝宝熟读儿歌，再根据图片的提示带领宝宝动一动，通过身体的运动释放坏情绪带来的心理压力。再帮助宝宝记住儿歌中的关键词，当宝宝有情绪时，就能从中找到办法来应对。

妈妈大课堂

忌妒是一种酸酸、辣辣的感觉，它容易引起宝宝对他人的排斥甚至敌视。想要拔掉宝宝心中这根忌妒的刺，首先要了解宝宝为什么会忌妒，忌妒些什么，下面或许有您需要的答案。

忌妒的根本原因在于宝宝认为别人比自己拥有得多，无论这种拥有是物质的东西，还是被认可，或者是别人的爱。3岁～6岁的儿童对外部世界的认知都是以自己为参照，也就是以自我为中心。他们认为所有的东西都应该围绕自己，表现出极强的独占性。比如，父母的爱，家人的关注，甚至赞美之词都应该是属于自己的，一旦被别人抢走，或者没有得到同等的关注，他们就会忌妒。3岁左右的宝宝表现最为强烈，随着年龄的增长和教育的培养，这种自我为中心会逐渐褪去。

宝宝都忌妒些什么呢？简单来说，凡是宝宝认为他人拥有的多于自己，他们就会产生忌妒的情绪。让孩子忌妒的事情大致可以分为几类：

1、别人获得的关注比自己多。如，老师夸奖其他孩子唱歌唱得好，妈妈赞美其他孩子长得漂亮，家人对其他孩子更加关心等。

2、别人拥有比自己好的东西。比如，别人的玩具比自己多，别人有新衣服而自己没有，甚至别人得到的苹果比自己大。

3、别人的能力超越自己。比如，别人的手工做得好，别人搭积木比自己快，别人学会的字比自己多等。

4、别人比自己获得更多的爱。比如，妈妈抱了其他的孩子，老师对其他孩子微笑，自己最好的朋友帮助别人穿衣服，甚至会忌妒爸爸妈妈的亲密行为。

　　父母要关注宝宝的情绪，及时排解掉宝宝的忌妒，不让忌妒这根刺扎在宝宝的心中。这里为您提供一些方法，教您应对酸溜溜的小宝宝。

Tip 1 替宝宝说出感受

　　缓解宝宝负面情绪最好的方法就是倾听和接纳他们的感受。如果您能替宝宝说出他们的感受，就会惊喜地发现，宝宝的情绪已经在您的描述中变得平静了。父母的关注和理解，永远是制胜的法宝。

Tip 2 父母不必很完美

　　给宝宝讲一讲自己的亲身体验，要比讲大道理管用得多。如果父母能告诉宝宝自己经历过的忌妒的感觉和不良后果，宝宝就更加能够理解，并能极力避免因忌妒而产生的攻击或者报复的想法。

Tip 3 帮宝宝认识自己和他人的优缺点

　　通过和宝宝熟悉的小朋友的客观对照，让宝宝知道，有时候自己比别人好，而有时候别人比自己强，这没什么大不了。而且这样也能让宝宝学会换位思考，透过他人看见自己，接受自我评价和外部评价。

Tip 4 不要拿自己的孩子和他人比

　　"再不吃饭，就拿给邻居的明明吃！""再哭，我就要丁丁做我的宝宝！""你看，西西就比你听话。"父母千万不要对孩子说这样的话。因为宝宝理解不了假设的意味，就会把父母的话当真，害怕被父母抛弃，这样的宝宝缺少安全感，更容易滋生忌妒和自卑的心理。

Tip 5 让宝宝输得起

　　父母和宝宝一起游戏时，不必总是故意让着宝宝，要让宝宝获得一定的失败体验，这样宝宝才能意识到有些事情自己是不能完成的，让宝宝正确地认识自己，接受这样的自己，消灭潜在的忌妒诱因。不要轻易对宝宝说"你是最棒的"。这样可能会使宝宝的自我中心极度膨胀，埋下忌妒的种子。